아서 스타터 워크북 06

아서

구조에 나서다

글·그림 마크 브라운

롱테일북스

등장인물

버스터

아서의 가장 친한 친구. 탐정 놀이와 외계인을 좋아하는 특이한 성격의 소유자.

브레인

아서의 친구들 중 가장 똑똑한 친구. 특히 수학과 과학을 제일 잘한다.

프랜신

무슨 운동이든 잘하는 아서의 친구. 활달한 성격으로 리더십이 있다.

빙키

거친 외모와 달리 의외로 섬세한 성격을 지닌 아서의 친구.

팔

아서 가족의 반려견. 사고뭉치이지만 아서를 잘 따른다.

Contents

본 워크북에 담긴 한국어 번역의 페이지는 영어 원서의 페이지와 동일하게 유지했습니다.
영어 원서를 읽다가 이해가 가지 않는 부분이 있다면, 워크북의 같은 페이지를 펼쳐 보세요! 궁금한 부분의 번역을 쉽게 확인할 수 있습니다.

영어 원서를 100 단어 기준으로 총 세 개의 파트로 나누어, 각 파트별로 다양한 액티비티를 담았습니다. 재미있게 영어 원서를 읽고 액티비티를 풀어 나가다 보면 영어 실력도 쑥쑥 향상될 것입니다!

부록으로 제공되는 MP3 CD에는 '듣기 훈련용 오디오북'과 '따라 읽기용 오디오북'의 두 가지 오디오북이 담겨 있습니다.
'듣기 훈련용 오디오북'은 원어민 전문 성우가 녹음한 오디오북으로 재미있는 효과음이 곁들여져 원서의 내용을 실감나게 이해하도록 도울 것입니다.
'따라 읽기용 오디오북'은 초보 학습자들을 위한 오디오북으로 효과음을 제거하고 조금 더 천천히 녹음한 것으로 학습용으로 사용하기에 유용할 것입니다.

MR. B.

아서는 그의 얼굴에 활짝 미소를 띠며 일찍 일어났습니다.

그는 하루 종일 놀 수 있었습니다.

그는 서둘러서 씻었고 옷을 입었고 그의 모든 집안일을 했습니다.

그는 1분도 낭비하고 싶지 않았습니다.

D.W.

그는 누가 같이 놀 수 있는지 보려고 자신의 친구들에게 전화하기 시작했습니다.

"미안해." 버스터가 말했습니다. "나는 내 방을 청소해야 해."

“나는 갈 수 없어.” 브레인이 말했습니다.
“난 가게에서 엄마를 도와드려야 해.”

"내가 그럴 수 있다면 좋겠어." 프랜신이 말했습니다. "하지만 난 세차를 해야 해."

“나는 꼼짝없이 붙잡혀 있어.” 빙키가 속삭였습니다. “나는 정원에서 잡초를 뽑아야 해.”

아서는 한숨을 쉬었습니다. “놀 친구가 아무도 없어요.” 그가 엄마에게 말했습니다. “저는 뭘 해야 하죠?”

“글쎄.” 엄마가 말했습니다. “너는 네 상상력을 이용해서 노는 수밖에 없겠구나.”

239.00
TAX CODES

아서는 그게 통할지 확신할 수 없었습니다.

그는 상상하기 시작했습니다. . .

"으악!" 버스터가 말했습니다. "내가 옷장을 여니까
산사태 같은 것이 일어났어."
"잠깐 기다려." 아서가 말했습니다. "내가 곧 너를 꺼내 줄게."

TUCKER

"냉동고가 작동하지 않아!" 브레인이 소리 질렀습니다.

"난 그걸 고치기 위해 내가 생각할 수 있는 모든 방법을 써 봤어."

"잠깐만!" 아서가 말했습니다. 그는 더 자세히 들여다보았습니다.

“플러그 때문이야.” 아서가 말했습니다. 그는 플러그를 다시 콘센트에 꽂았습니다.

“고마워, 아서.” 브레인이 말했습니다. “조금만 더 늦었으면 이 아이스크림이 다 녹았을 거야. 우리는 아이스크림 스프를 제공하고 있었어야 했을지도 몰라!”

“이크!” 프랜신이 외쳤습니다. “호스를 통제할 수 없어!”

“내가 해결할게.” 아서가 말했습니다.

"걱정하지 마, 빙키. 내가 곧 너를 꺼내 줄게."

"고마워, 아서. 나는 내가 완전히 망했다고 생각했어."

"저 소리는 뭐예요?" 아빠가 물었습니다.

"오, 저건 그냥 아서가 노는 소리예요." 엄마가 말했습니다.

"오늘 아서의 친구들이 모두 바빠서 참 안됐어요." 아빠가 말했습니다.

"사실은 있죠." 엄마가 말했습니다. "일이 잘 풀렸어요. . ."

“아서 역시, 매우 바빠졌거든요.”

Activities

영어 원서를 총 세 개의 파트로 나누어,
각 파트별로 다양한 액티비티를 담았습니다.

각 파트의 영어 원서 페이지는 롱테일북스에서 출간된
'롱테일 에디션'을 기준으로 합니다!

Vocabulary Part 1

일어나다, 깨다

wake up

일찍, 이른

early

하루, 날, 일

day

빨리, 신속히

quickly

씻다

wash

옷을 입다

get dressed

집안일, 잡일

chore

낭비하다; 쓰레기

waste

(시간 단위의) 분

minute

전화하다

call

청소하다

clean

가게, 상점

shop

~이면 좋겠다, 바라다

wish

붙잡다 (과거분사형 held)

hold

죄수, 포로

prisoner

속삭이다, 소곤거리다

whisper

잡초를 뽑다

weed

정원

garden

Word Review Part 1

A 알파벳을 바르게 배열하여 그림에 맞게 단어를 완성해 보세요.

1

l a l c

c

2

o d h l

3

w h s a

B 알파벳을 바르게 써넣어 그림에 알맞은 단어를 완성해 보세요.

1

s h o p

2

g d n

3

mi t

C 그림을 보고 알맞은 단어를 퍼즐에서 찾은 뒤, 빈칸에 단어를 써 보세요.

a	c	l	e	a	n	t	l
e	h	k	s	x	u	z	g
j	o	c	f	w	e	e	d
v	r	e	y	i	b	c	h
i	e	q	h	s	f	t	m
g	j	m	k	h	r	i	d
p	b	c	i	y	o	y	w
w	a	s	t	e	c	n	d

1

chore

2

______

3

______

4

______

5

______

Wrap Up! Part 1

A 이야기의 순서에 맞게 번호를 적어 보세요.

Arthur quickly did all his chores.

Francine wanted to play with Arthur.

1

Arthur woke up early.

The Brain had to help his mom at the shop.

B 각 단어에 알맞은 그림을 찾고, 이를 설명하는 문장을 찾아 바르게 이어 보세요.

call

Francine had to wash the car.

room

Arthur called his friends to play.

wash

Buster had to clean his room.

weed

Binky was weeding the garden.

C 다음 그림을 보고 아래의 단어를 알맞게 넣어 문장을 완성해 보세요.

day waste chores

1 Arthur quickly did all his ______.

2 Arthur could play for a whole ______.

3 Arthur didn't want to ______ his time.

D 책의 내용과 일치하면 TRUE에, 그렇지 않으면 FALSE에 동그라미를 그려 보세요.

1. Arthur did his chores all day long. TRUE FALSE
2. Arthur wished that his friends could play with him. TRUE FALSE
3. The Brain called his friends to see who could help his mom. TRUE FALSE
4. Binky whispered to Arthur as he weeded the garden. TRUE FALSE

E 다음 질문에 대한 알맞은 답을 골라 보세요.

Why did Buster say "Sorry?"

a. He could not play with Arthur.

b. He had missed Arthur's call.

c. He had lost Arthur's toy.

Let's Write! Part 1

A 우리말에 맞게 알맞은 짝을 찾아 바르게 연결하고 완성된 문장을 두 번씩 써 보세요.

1 He had a whole day	to waste one minute.
2 He didn't want	at the shop.
3 He started	to play.
4 I have to help my mom	calling his friends.

1 그는 하루 종일 놀 수 있었습니다.

He had a whole day to play.

2 그는 1분도 낭비하고 싶지 않았습니다.

3 그는 자신의 친구들에게 전화하기 시작했습니다.

4 난 가게에서 엄마를 도와드려야 해.

Vocabulary Part 2

아무도 ~ 않다

nobody

상상력, 상상

imagination

작동하다, 일하다; 일

work

생각하다

think

산사태

landslide

열다

open

벽장

closet

냉동고

freezer

소리 지르다

yell

모든 것, 모두

everything

고치다, 수리하다

fix

자세한, 가까운

close

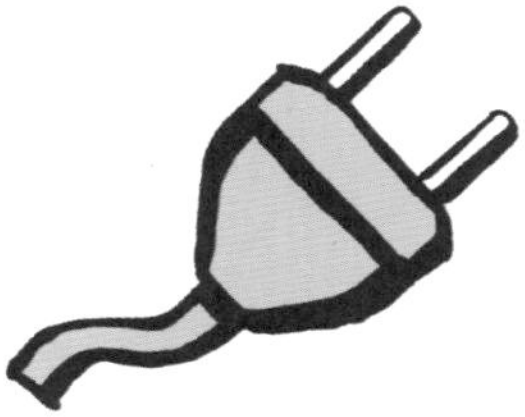

(전기) 플러그

plug

놓다, 두다 (과거형 put)

put

콘센트, (플러그를) 꽂는 곳

socket

녹다

melt

제공하다

serve

수프

soup

Word Review Part 2

A 알파벳을 이어서 알맞은 그림과 연결하고, 빈칸에 완성된 단어를 써 보세요.

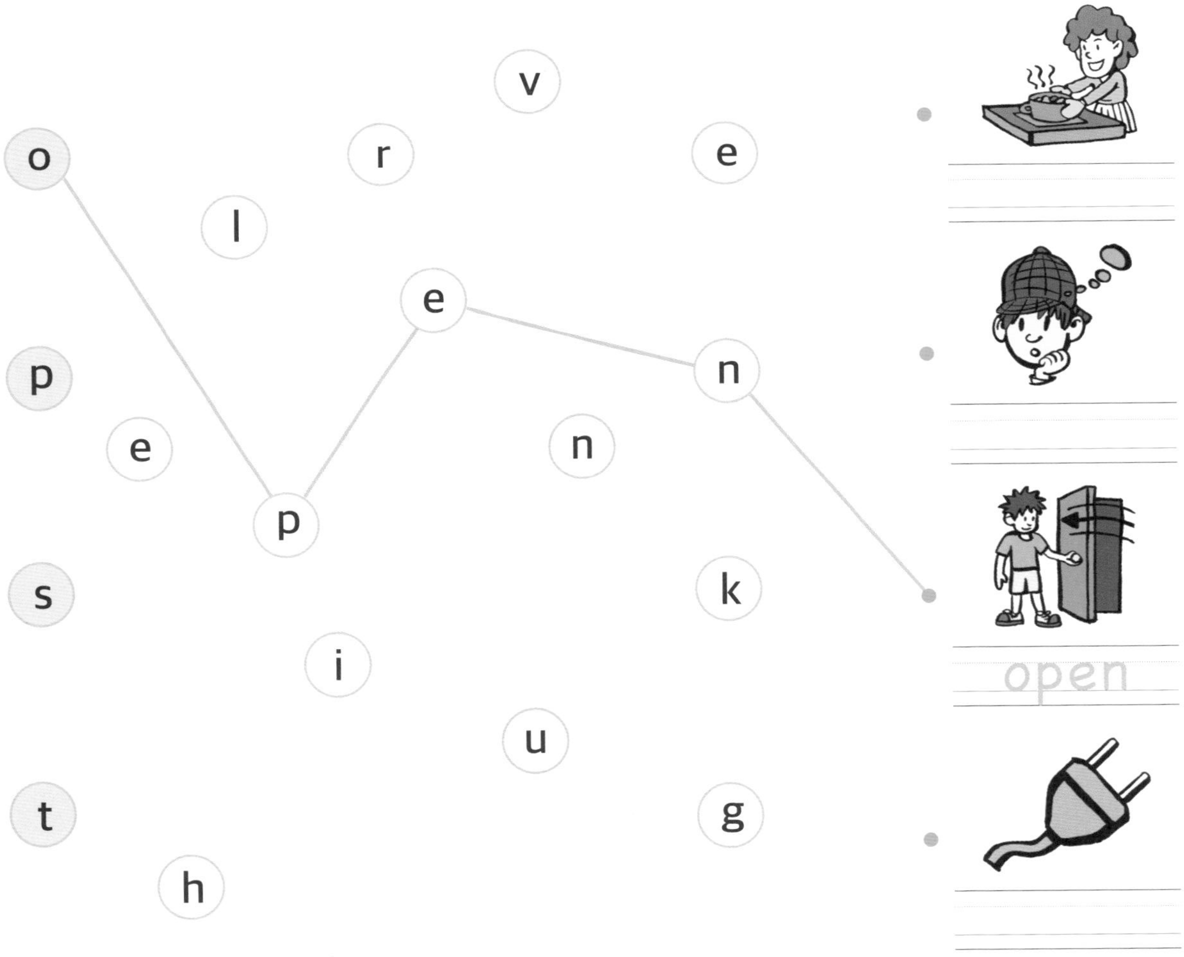

B 그림을 보고 같은 색깔의 알파벳을 바르게 배열하여 빈칸에 써 보세요.

n e y

t l b o

s c o d e o

l e l f z r

y i f e

x e r

1 

nobody

2 

3 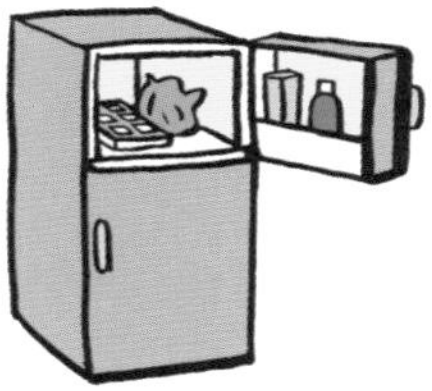

4 

5 

Wrap Up! Part 2

A 이야기의 순서에 맞게 번호를 적어 보세요.

There was a landslide
in Buster's room.

The Brain tried to fix the freezer.

Nobody had time
to play with Arthur.

Mom told Arthur to play
with his imagination.

B 두 개의 문장 중 오른쪽에 있는 그림을 바르게 설명하는 문장을 골라 보세요.

1
ⓐ Arthur didn't know what to do.
ⓑ Arthur didn't know how to fix the car.

2
ⓐ Arthur started reading a book.
ⓑ Arthur started thinking.

3
ⓐ Arthur helped Buster out from the landslide.
ⓑ Arthur found Buster's toys in the closet.

4
ⓐ Arthur pulled the plug out of the socket.
ⓑ Arthur put the plug back in the socket.

C 다음 그림을 보고 아래의 단어를 알맞게 넣어 문장을 완성해 보세요.

plug closer melted

1. Arthur took a __________ look at the freezer.

2. Without Arthur's help, all the ice cream would have __________.

3. The __________ was out of the socket.

D 책의 내용과 일치하면 TRUE에, 그렇지 않으면 FALSE에 동그라미를 그려 보세요.

1. Arthur was not sure that his imagination would work. TRUE FALSE
2. In Arthur's imagination, Buster saw a kind of landslide when he opened the closet. TRUE FALSE
3. Arthur could not think of how to fix the freezer. TRUE FALSE
4. The Brain served ice cream soup at the shop. TRUE FALSE

E 다음 질문에 대한 알맞은 답을 골라 보세요.

What did Arthur learn after he called his friends?

a. Nobody could play with Arthur.
b. There was a landslide in Buster's room.
c. The freezer at the shop was not working.

Let's Write! Part 2

A 오늘 공부한 문장을 따라 써 보세요.

1 아서는 그게 통할지 확신할 수 없었습니다.

Arthur wasn't sure that would work.

2 그는 상상하기 시작했습니다.

He started thinking.

3 내가 곧 너를 꺼내 줄게.

I'll have you out in a minute.

4 냉동고가 작동하지 않아!

The freezer's not working!

5 그는 더 자세히 들여다보았습니다.

He took a closer look.

6 그는 플러그를 콘센트에 다시 꽂았습니다.

He put it back in the socket.

Vocabulary Part 3

외치다, 소리치다

shout

호스

hose

통제, 지배

control

처리하다, 보살피다

take care of

걱정하다

worry

곧, 빨리

soon

망한, 실패한

doomed

확실히, 틀림없이

for sure

소리, 소음

noise

묻다

ask

놀다, (게임을) 하다

play

안 좋은, 나쁜

bad

친구

friend

바쁜

busy

오늘

today

일, 것

thing

잘, 좋게; 괜찮은

fine

~임이 드러나다, 밝혀지다

turn out

Word Review Part 3

A 그림을 보고 알파벳 속에서 맞는 단어를 찾아 빈칸에 써 보세요.

abihbusyeranoiseotqlynplayehaksthingohscontroladribadsela

1

busy

2

3

4

5

6

B 그림을 보고 알맞은 단어를 퍼즐에 넣어 완성한 뒤, 빈칸에 단어를 써 보세요.

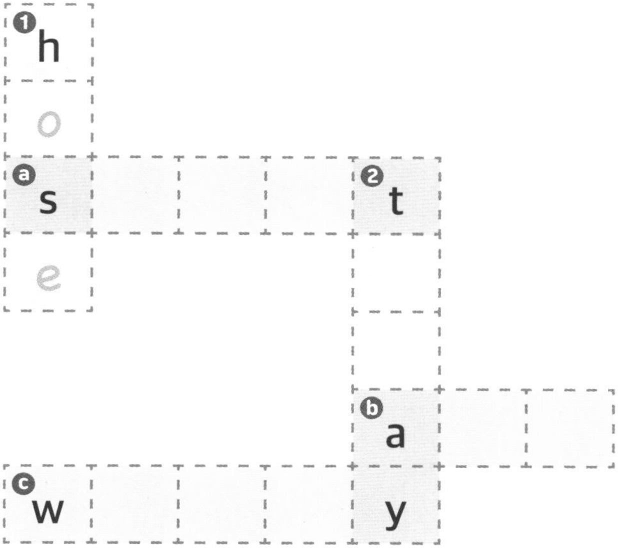

❶

hose

❷

____

ⓐ

____

ⓑ

____

ⓒ

____

A 이야기의 순서에 맞게 번호를 적어 보세요.

Binky was sure
that he was doomed.

Dad asked about the noise.

Arthur got busy after all.

Mom explained that Arthur
was making a noise.

B 그림의 각 부분을 올바르게 설명하는 문장을 찾아 빈칸에 맞는 기호를 넣어 보세요.

- ⓐ Arthur imagined helping Francine.
- ⓑ "Yikes!" Francine shouted.
- ⓒ The hose was out of control.
- ⓓ Arthur came to take care of the hose.

C 다음 그림을 보고 아래의 단어를 알맞게 넣어 문장을 완성해 보세요.

soon doomed worried

1 Binky was ________ that he could not get out.

2 Arthur had Binky out ________ .

3 Binky thought that he was ________ for sure.

D 책의 내용과 일치하면 TRUE에, 그렇지 않으면 FALSE에 동그라미를 그려 보세요.

1. Arthur thanked Binky for getting him out. TRUE FALSE
2. Arthur imagined helping Francine control the hose. TRUE FALSE
3. Arthur was making noise while playing. TRUE FALSE
4. Arthur became as busy as his friends. TRUE FALSE

E 다음 질문에 대한 알맞은 답을 골라 보세요.

How did Arthur get busy?

a. He took care of D.W. and Pal.

b. His imagination worked out fine.

c. His friends called him back to play.

Let's Write! Part 3

A 우리말에 맞게 네모 안에 있는 말을 바르게 배열해 보세요.

1 호스를 통제할 수 없어!

The hose 호스는	out of control 통제할 수 없는	is ~이다

The hose is ______________________ !

2 내가 해결할게.

it 그것을	I'll 내가 ~할 것이다	take care of 해결하다

______________________ .

3 걱정하지 마, 빙키.

worry, 걱정하다	Binky 빙키	Don't ~하지 마라

______________________ .

4 저건 그냥 아서가 노는 소리예요.

Arthur 아서가	just 그냥	playing 노는 것	That's 저것은 ~이다

____ .

5 일이 잘 풀렸어요.

fine 잘	Things 일이	worked out 풀렸다

____ .

6 아서 역시, 바빠졌거든요.

Arthur 아서도	too 역시	turned out 드러났다	to be busy, 바쁜 것으로

____ .

Answers

Part 1

Word Review

A

1

l a l c
call

2

o d h l
hold

3

w h s a
wash

B

1

shop

2

garden

3

minute

C

a	c	l	e	a	n	t	l
e	h	k	s	x	u	z	g
j	o	c	f	w	e	e	d
v	r	e	y	i	b	c	h
i	e	q	h	s	f	t	m
g	j	m	k	h	r	i	d
p	b	c	i	y	o	y	w
w	a	s	t	e	c	n	d

1

chore

2

wish

3

weed

4

waste

5

clean

Wrap Up!

A

2

Arthur quickly did all his chores.

4

Francine wanted to play with Arthur.

1

Arthur woke up early.

3

The Brain had to help his mom at the shop.

B

call

room

wash

weed

Francine had to wash the car.

Arthur called his friends to play.

Buster had to clean his room.

Binky was weeding the garden.

C

1 Arthur quickly did all his chores .

2 Arthur could play for a whole day .

3 Arthur didn't want to waste his time.

D

1 FALSE 2 TRUE 3 FALSE 4 TRUE

E

a

Let's Write!

A

1 He had a whole day — to play.

2 He didn't want — to waste one minute.

3 He started — calling his friends.

4 I have to help my mom — at the shop.

Part 2

Word Review

A

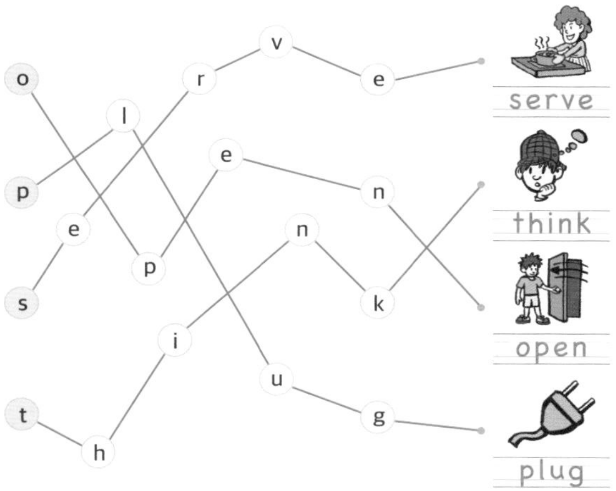

B

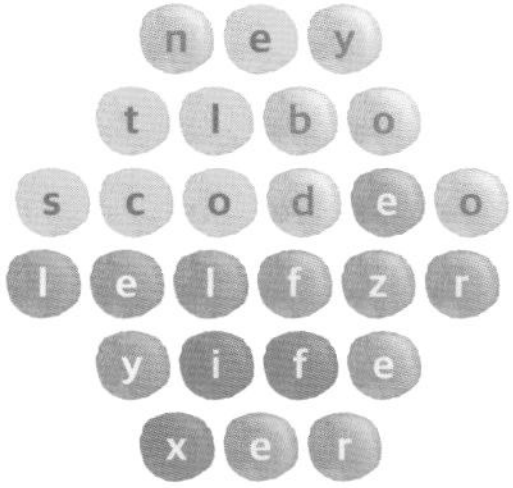

1 
nobody

2 
closet

3 
freezer

4 
yell

5 
fix

Wrap Up!

A

3

There was a landslide in Buster's room.

4

The Brain tried to fix the freezer.

1

Nobody had time to play with Arthur.

2

Mom told Arthur to play with his imagination.

B

1 a 2 b 3 a 4 b

C

1 Arthur took a closer look at the freezer.

2 Without Arthur's help, all the ice cream would have melted.

3 The plug was out of the socket.

D

1 TRUE 2 TRUE 3 FALSE 4 FALSE

E

a

Part 3
Word Review

A

abihbusyeranoiseotqlynplayehaksthingohscontroladribadsela

1 

busy

2 

thing

3 

play

4 

noise

5 

control

6 

bad

B

❶h						
o						
ⓐs	h	o	u	❷t		
e				o		
				d		
				ⓑa	s	k
ⓒw	o	r	r	y		

❶ 

hose

❷ 

today

ⓐ 

shout

ⓑ 

ask

ⓒ 

worry

Wrap Up!

A

Binky was sure that he was doomed.

Dad asked about the noise.

Arthur got busy after all.

Mom explained that Arthur was making a noise.

B

C

1 Binky was worried that he could not get out.

2 Arthur had Binky out soon.

3 Binky thought that he was doomed for sure.

D 1 FALSE 2 TRUE 3 TRUE 4 TRUE

E b

Let's Write!

A

1 The hose is out of control!

2 I'll take care of it.

3 Don't worry, Binky.

4 That's just Arthur playing.

5 Things worked out fine.

6 Arthur turned out to be busy, too.

More Arthur Stories to Read!

01 Arthur and the Big Snow
02 Arthur and the Dog Show
03 Arthur Helps Out
04 Arthur Jumps into Fall
05 Arthur Tells a Story
06 Arthur to the Rescue
07 Arthur's Birthday Surprise
08 Arthur's Heart Mix-Up
09 Arthur's Homework
10 Arthur's Jelly Beans
11 Arthur's Mystery Babysitter
12 Arthur's Off to School
13 Arthur's Tree House

재미있는 내용을 쉬운 문장과 간결한 표현으로 풀어 낸 기초 원서,
『아서 스타터(Arthur Starter)』 시리즈

아이들의 눈높이에 맞춘 유쾌한 이야기!
실생활에 바로 적용할 수 있는 영어 표현!

ARTHUR TO THE RESCUE

아서 구조에 나서다

초판 발행 2022년 1월 3일

글·그림 마크 브라운
번역및콘텐츠감수 유아름 정소이
콘텐츠제작참여 기나현 선생님(경기 고양 일산중) 김수정 선생님(경기 부천 계남초)
이재영 선생님(서울 영등포 영림초) 임소연 선생님(경기 동두천 생연초)
영문감수 Julie Tofflemire
책임편집 유아름 정소이 김보경
디자인 모희정 이강효
저작권 김보경
마케팅 김보미 정경훈

기획 김승규
펴낸이 이수영
펴낸곳 롱테일북스
출판등록 제2015-000191호
주소 04033 서울특별시 마포구 양화로 113(서교동) 3층
전자메일 helper@longtailbooks.co.kr

ISBN 979-11-91343-30-4 14740